처음 가는 마음

창비
청소년
시선
36

# 처음
# 가는
# 마음

이병일 시집

창비

# 차례

제1부

내가
모르는
나

# 하여간

하여간 나는 학교 가야지,라는 말에 정신이 번쩍 든다

부드럽게
엄마는 또 학교 가야지,라고 말한다

학교 가야지,라는 말
내가 사랑받고 있다는 뜻이었는데

하여간
나는 교문 앞에서 자주 길을 잃었고
그저 그런 학생이 되어 있었다
그저 그런 책가방이 되어 있었다
그저 그런 '하여간'이 되어 있었다

하여간 나는 택배 받으라고
일찍 들어오라는 엄마의 말
잘 까먹었다
돈과 기억도 잘 까먹었다

그런데 학교 가야지,라는 말은 까먹어도
눈만 잘 떠진다
하여 나의 하여간은 하여가가 되지 못했다

# 나는 복도체

내가 가장 잘하는 것은 귀동냥이었다
귀로 세상의 소리를 듣는 것은 중요하다

그냥 지나가는 말도 복도에서는 크게 들린다
나는 일광욕을 좋아하는 복도의 귀를 가졌다

판서하는 선생님의 글씨체도 또박또박 들려온다
샤프펜슬로 왕희지체처럼 흘림으로 휘갈기는
내 친구의 손목도 잘 보인다

귀로 보니까 생각이 자유로워진다
나는 복도에서 공부하기로 했다
포기하고 싶을 때마다
교실 문을 열고 복도 창에 선다
풀지 못한 수학 문제도 술술 풀린다
영어 단어도 쏙쏙 귀에 와 박힌다

복도에 서 있으면, 또 해찰했느냐고

묻는 교감 선생님
그때마다 나는 묵묵부답
복도체를 연마 중이라고 크게 외치고 싶었다

# 관심

형, 고양이 어디 있어? 지붕 위에서 입 찢기 하고 있어?

형, 고양이 어디 있어? 참새 하나 잡아 와서 놀고 있어?

형, 고양이 어디 있어?

네가 봐 봐, 창문으로 다 볼 수 있잖아

형, 고양이는 근력, 침묵, 수관*을 꼬리에 숨겨 둔대

듣고 있는 거야?

형, 나 이모티콘, 고양이체(體) 만들어 볼 건데, 봐 줄 거지?

꿍은 없다, 알지?

* 자세히 관찰해서 본질을 알아차린다는 뜻의 불교 용어.

14

# 내가 모르는 나

어제 잊히지 않는 장면을 봤다 물이 없어 소 오줌으로 머리를 감는 아프리카 아이를 봤다

갑자기 뒤통수가 서늘해진다 수업 시간표가 궁금해졌고 단팥빵을 좋아하는 내가 좋아졌다 이해 못 할 것들이 많았는데, 기댈 곳이 너무 많아 호강한다는 생각이 들었다

나란 인간은 깨지기 쉬운 그릇이라는 거, 무사태평이라는 뜻도 알게 됐다 아빠는 교통사고로 콩팥 하나를 잃었고 나는 오토바이 사고로 허리뼈 4번에 핀을 박았다는 거, 깨진 것도 다시 붙이면 새지 않는다고 했다 정신이 새지 않았으면 좋겠다

내가 모르는 나, 속 검은 내가 나를 깔고 앉아 중얼거린다, 어라! 이것 봐라 요 녀석 철들기 시작하네, 철들면 안 되는데!

# 롱 패딩

내 키는 188센티미터
추위를 많이 타는 체질이라
발목까지 내려오는 롱 패딩을 입고 다녔다
기린처럼 작은 머리통 매달고
목선 가린 보호대를 차고 다녔다
다들 농구 선수냐고 물었다
오토바이 사고 나서
목과 허리에 찬 보호대를 가린 건데
엉뚱하게도 학교에서는 롱 패딩이 핫 패션이었다
전에 입던 구스다운은 아버지의 외출복이 되었다

# 짝사랑

속마음 털어놓지 말라고
혼자 끙끙 앓는 불씨가 된 밤

이 불씨는 번지지 않는다
책과 필통을 태우지 않는다
더운 숨만 훅훅 끼치게 한다

심장이 콩알만 한 나는
그 애 앞에서
무슨 말을 해야 할지 몰라
입꼬리가 무거워진다

그 애 이름만 써도
아 몰라,
그냥 기분이 좋아진다
멋 부리고 싶어졌다

# 마스크 유행
인스타그램 1


마스크 쓰고 학교에 간다
코로나19 때문에 어쩔 수 없다
마스크는 또 하나의 얼굴이 되었다

마스크 쓰고 여행을 가고
마스크 쓰고 시험을 보고
마스크 쓰고 극장에 가고
마스크 쓰고 졸업을 하게 되었다
마스크 쓴 얼굴보다
초록빛 명찰이 더 잘 보였다

마스크는 얼굴보다 이름을 빛내 주었다

# 콧등 치기
인스타그램 2


언제부터인가, 고3이라고
"조금만 참아, 다 왔으니까."
단체로 짜장면도 사 주시고
스테이크피자도 시켜 주시는 선생님,
맨날 책상에 얼굴 파묻고 자는
나를 더는 나무라지 않으시네

사람이 갑자기 변하면
몹쓸 병에 걸린 것이라던데
혹, 선생님 암 걸린 건 아니겠지?
진짜면 어떡해야 하지?

선생님, 어디 아프세요? 묻고 싶었지만
짜장 면발이 콧등을 치네
말을 할 수가 없었네
하고 싶었던 말, 까먹어 버렸네

# 기린의 시
인스타그램 3


기린의 목뼈는 일곱 개, 내 목의 보호대 핀도 일곱 개


기린은 피가 몰리는 목이 있어 친친 하늘을 열고 닫고
감았지
나는 목 대신 허리가 자랐지 머리통은 작아지고


1억 4천만 년 전부터 기린은 죽지 않고
등뼈의 검은 벼락 무늬를 가지고 수렵 시대를 건너왔지
나의 자랑은 전신 마취를 건너왔다는 것


기린의 뿔에 빛과 물이 흐르는 동안
스스르 잠에 빠진 나는
죽으려고 하는 기린 꿈을 꾸었다
구덩이 파고 들어가는 듯했다


오후의 병실에는 나만 남았다
창 너머로 기린의 그림자가 보였다
나는 바오바브나무가 있는 초원과 뿔을 두고 왔다

막, 사막을 지나왔던 것이다

# 분홍민달팽이

화산 지대의 민달팽이
분홍색이었다
불의 숨결이 여전히
몸속에 녹고 있다는 징조였다

불이 꺼지는 소리와 함께
민달팽이의 외길은 축축했다
사막을 마시고 강물을 만들듯
달팽이는 오래도록 살았고
결국 삶의 형태를 바꾸었다
옳게 살았다고 믿고 싶다
나는 고통에 민감한 소년이고 싶다

# 가족이 많아 좋은 일

그냥 얼굴 자주 보고
같이 밥 먹고
같이 여행 가고
같이 사진 찍는 것이
가족 아닌가?

외할아버지 돌아가신 날
온 가족 다 모였다
가족이 많다는 거, 좋은 일인가?
장례식장인데 질문이 쏟아진다
어떻게 살아왔는지
어떻게 살아갈는지
삼촌 이모 조카 형 누나 들
날 새는 줄도 모르고
침이 달게끔
조잘조잘 떠들고 있었다
죽음이 축제가 될 수도 있다는 말
진짜였다

# 흑심고래를 찾아서

나는 고래가 될 거다
일각고래도 귀신고래도 아닌
향유고래가 될 거다

공부 잘하는 돌고래가 아니라
고등어 떼와 곤쟁이 떼 몰고
먼바다에서 서귀포 바다 앞까지
배달 잘 오는 향유고래가 될 거다

눈에 힘 들어갔다고 쥐어박는 밍크고래가 아니라
눈에 힘 들어가서 눈썹이 예쁘다고 말하는
향유고래가 될 거다

위로받고 관심받는 흰수염고래가 아니라
바다엔 재미있는 게 많다고 흥얼거리는
향유고래가 될 거다

죽어 양초가 되고

닥나무 껍질로 만든 흰 종이에
시를 쓰는 흑심고래가 될 거다

# 배틀그라운드

금요일 밤이 다가오면 나는 콧노래를 부른다
밤 열 시부터 배틀그라운드를 할 수 있으니까
배틀그라운드에서 만난
형 누나 형 누나 형
한 달에 한 번 우리는 오프라인에서 만난다
안산에서 오고
영등포에서 오고
구리시에서 오고
잠실에서 오고
창동에서 오고
성신 여대 앞에서 모여
돈가스를 먹고
노래방에 가고
게임방에 가고
카페에서 음료수도 마신다
나는 그런 형이랑 누나가 좋다
엄마는 다 같이 몰려다니면서
나쁜 짓 모의하는 거 아니냐고 물었지만

나는 진로 문제도 상담해 준다고 말했다
평소에 말이 없는 나는
배틀그라운드 형 누나를 만나면
말이 많아진다, 신이 난다

# 습득물
인스타그램 4


학교 소각장에서 작은 쇼핑백 하나를 주웠다
쓰레기들 소각하려고
막대기로 하나하나 들추다가
둘둘 말린 신문지 뭉치가 든 쇼핑백을 보았다

자세히 보니 새파란 돈다발이었다
심장이 쿵쾅쿵쾅 뛰었다
남의 것엔 눈독 들이지 말라고
내 것 아닌 것은 모두 경찰서에 맡기라는
아빠의 말이 떠올랐다

며칠 뒤, 멍때리고 있는데 담임 선생님이 부르셨다
슬리퍼 질질 끌며 교무실로 갔다
의인상을 받게 된다고 했다

학교 앞 문방구 할머니가 오셔서
정말 착한 학생이라고 칭찬하셨다
쇼핑백을 붙박이장 밑에 숨겨 두었는데

할아버지가 소각장에 내다 버린 거라고 했다
그 돈은 할아버지 백내장 수술비였다고 한다

종례 후 교장 선생님과 면담이 있다는데
말할 줄도 모르는데 무슨 말을 해야 할까?

# 평양냉면

우리가 서 있는 바로 그 거리,
판문점에
사월이 닿는다
새와
꽃과
짐승도
사월에 닿는다
역사 시간
생방송으로
중계되는 영상을 봤다
심장이 뛴다 마구마구 뛴다
내가 판문점에 가 있는 것도 아닌데
마구마구 뛴다
마구 뛴 심장을 달래는 방법은
평양냉면을 먹는 거라는데
오늘 급식 평양냉면이래!
레일?
흥분하다가 죽을 뻔했다

# 엄마, 할부하면 안 돼?


얼굴에 난 여드름, 군데군데 흉 졌다
개기름 줄줄, 붉은 얼굴 때문에
홍당무라는 놀림 그만 받고 싶어

엄마를 졸라서 피부과에 왔다

내 얼굴은 홍조증이란다, 쉽게 말해
홍옥이란다(아, 사과 같던 내 얼굴이
진짜 사과가 되다니)
레이저로 피부를 깎고 재생 치료도 해야 한단다
대학 등록금만큼 치료비가 들어간다고 한다

엄마는 군대 다녀와서 치료하자고 했다
나는 방방 뛰었다
대학 가서도 홍당무 소리 들어야 하냐고

엄마, 24개월 할부하면 안 돼?

# 거품을 물었어

나의 반려동물 가재
창밖은 지금 월식 중인데
황홀한 잠에 빠져 있나 봐
허물을 벗고 있나 봐

어항으로 본 월식,
저 달 속엔 가재가 살고 있나 봐
분화구마다 웅크린 집게발이 보였어
모래톱에 숨을 부려 놓듯이
석회암에 묻혀 있는 조상의 뼈를 찾고 있나 봐
가재는 잃어버린 집게발을 찾느라고
거품을 문다고 했어
가재는 입을 열었다 닫았다 했어
연골이 차오르는 거였어

달도 가재도 허물을 벗고 자유를 얻었지만
나는 아직 땀내 나는 교복을 입고 시험을 봤지
문제를 잘 집는 집게발이 없어서

거품을 또 물었어, 그런데 숨을 곳이 없었어

# 이웃집 토마토
인스타그램 5


이웃집 토마토는 꼬리가 긴 고양이
꼬리로 몸을 감고 자는 고양이

미술 시간에 고양이 그림을 그렸다
꼬리를 접고 네발을 접으면
새가 되는 고양이
갈비뼈에서 날개가 솟구친다는 상상을 했다

새였다가 고양이로 몸을 바꿀 수 있는
그런 고양이

그때 미술 선생님이 지나가셨다
야, 이런 고양이가 어디 있니?

아, 진짜 있는데
눈에 보이지 않는 것을 그리는 게 화가라면서……

흰 꼬리가 아름다운 고양이

진짜 몸의 절반이 꼬랑지인데
인스타에 올린 사진을 보여 줄 수도 없고
공부 안 하고 또 딴짓만 한다고
머리통 쥐어박힐까 봐 그만두었다

# 또 하나의 재능

할머니가 보내 주신 팥 봉지,
엄마는 신문지 위에 팥을 쏟아 놓는다
팥죽을 쑨다고 돌을 고르라고 한다

팥은 빨갛고 흰 눈을 가졌다
돌멩이 하나 골라냈다
벌레 한 마리 꿈틀, 몸을 둥글게 편다

밀봉 풀린 것을 알았을까?
작은 돌 조각 같은 벌레들이
팥 깍지 뒤에 숨는다
깍지가 되었다가 돌이 된 벌레들
팥 고르기는 손가락 끝으로 해야 잘된다

집중력이 생긴다, 팥과 돌의 구분이 잘된다
흉터 많은 팥은 벌레다
깊은 구멍이 있는 것도 벌레다
또 하나의 재능이 생긴 것 같다

살짝만 건드려도 꿈틀거리는 벌레
나의 집요한 팥 고르기 때문에
팥은 팥이 되었고, 돌과 벌레는
휴지 조각에 싸서 집을 만들어 주었다

# 당장

청소 시간, 이 층에서 창문을 닦았다
일 층에서 점심시간에 입씨름했던 친구가 놀렸다

야, 너 어제 바지에 똥 쌌다며
네 체육복 엉덩이, 누런색 내가 다 안다 다 봤다
야, 용기 있으면 뛰어내려 봐

나도 모르게 번쩍, 일 층으로 뛰어내렸는데
두 발이 떨어지지 않았다

지나가던 수학 선생님이 더 놀라셨다
지금 뭐 하는 짓이야
당장 따라와!

그런데 다리가 움직이지 않았다
샘!을 크게 불렀지만 목소리도 나오지 않았다
결국 선생님 등에 업혀서 보건실로 갔다
선생님은 나를 혼내지 않으셨다

제2부
# 내 갈 길
# 간다

# 아빠, 사랑합니다

거머리 소년

학교에서 돌아오는 길에
아빠가 일하는 곳에 들렀다
피시방이나 당구장을 가기 위해
당당하게 짬뽕 한 그릇을 먹기 위해
학교 잘 다니겠다고
다른 데로 안 새고 곧장 집으로 가겠다고
정말이라고, 오만 원 필요하니까
그것만 달라고 하였다
아빠는 그런 나를 거머리라고 했다
끈적거린다고, 징글징글하다고 했다
지갑에서 오만 원만 가져가라고 했다
일주일 치야!
그런데 오만 원권 한 장만 뺀다는 것이
두 장이 딸려 왔다
아빠, 사랑합니다!
내 입이 어느 쪽에 있는지 모르지만
오늘도 아빠의 피를 잘 빨아먹었다
수염이 새까맣게 자라고 있었다

40

# 꼴에 쥐띠라고

경찰서에서 전화가 왔다
나는 친구들과 함께
운동화도 훔쳐 봤고 과자도 훔쳐 봤고
오토바이도 훔쳐 타 봤다
까칠까칠 턱 밑에 수염이 돋아 나오듯
CCTV에 내 얼굴이 찍히는 것도 몰랐다

아빠 가슴에 대못을 박았다
잘못했다고
큰 소리로 울고 싶었지만
그냥 고개만 숙이고 있었다
아빠의 눈동자,
실핏줄이 터져 있었다
꼴에 쥐띠라고
겁먹은 채로 입술만 뜯었다
다시는 친구들이 잡아끄는 대로
쫓아가지 말아야지

# 공간이 필요해

방은 세 개인데 하나는 창고,
창고 옆방은 엄마 아빠가 쓰고
또 하나의 방은 형과 내가 쓴다
들러붙어 자는 방이
쌀벌레가 사는 항아리 같았다

쌀벌레도 항아리에서 나는 법을 생각하겠지
빗소리 잘 들리는 이 눅눅한 기분도 좋아하겠지
아마, 번개처럼 휘청거리는 어둠 속에서
쌀눈만 갉아 먹으면서 날개 펴는 꿈을 꾸겠지

나처럼 욕심은 많지만 고작 쌀 한 톨 갉고
반짝반짝 빛나는 이름을 갖고 싶을 거야
아마, 쌀벌레는 항아리의 왕일 거야
형의 핀잔을 듣지 않아서 좋을 거야

쌀벌레와 함께 숨을 공간이 필요하다
어떡하면 좋지?

진공청소기를 돌리면 들킬 테니까
창고를 치우고 내 방으로 써야 할까 봐
그런데 저 쌀가마니는 어디에 둬야 할까?

# 금방 갈게

피시방에서 게임을 하고 있었다
학교는 가지 않았다
학교 따위는 잊기로 했다
아빠에게 준비물 사야 한다고
오만 원을 받았고
엄마에게 체육복을 산다며
칠만 원을 받았다
학교 문을 벗어난 지 벌써
석 달이 되었다
무섭지 않았다
늘 어디냐고 엄마에게 문자가 날아오면
금방 갈게,라고 했다
담배 피우면서 걷다가 외삼촌에게 걸려
공터로 끌려갔다
불량하게 대들었다가
순두부처럼 말랑한 청소년이 되었다
금방 갈게, 한 번만 믿어 줘
아, 문자 또 온다, 얼굴 보면

아빠가 화낼 것만 같은데
진척 없는 나의 미래를
군대 가서 생각해 보기로 결심했다

# 나의 미래

밀가루가 나의 미래라고 생각했다
아빠는 나를 밀가루 같은 놈이라고 했다

국어책과 수학책은 잠자는 목침이었다
나의 미래를 위해
요리 학원에 등록했다
밀가루 촉감이 부드러웠다
계란과 물과 함께 섞이자
진득진득한 힘이 느껴졌다
반죽은 숙성되면 국수가 될까?
빵이 될까?
우동 면발과 만두피가 될까?
아니면 케이크가 될까?

일요일, 홍두깨로 반죽을 밀었다
냄비는 빗소리로 끓어 넘치고 있었다
칼국수를 만들었다

너는 퍽퍽하고 답답한 놈이 아닌가 보구나
아빠의 입가에 호로록 소리가 흐드러졌다

# 첫 경험

원동기 면허 취득 기념으로
병수가 빠앙, 하고 오토바이를 학교까지 몰았다
나도 빠앙, 하고 병수 허리춤을 붙잡았다

구름을 빠져나오는 바람같이
뺨이 우멍하게 눌리도록
빛을 뿜는 용기와 함께 신나게 달렸다

겁이 많은 나는
병수의 등짝을 꽉 움켜잡고 비명을 질렀다
병수는 내 비명 소리에 흥분해서
방사형 배기통이
코끼리 울음처럼 퍼지도록 가속 레버를 당겼다

나는 죽을힘을 다해 다리에 힘을 주었고
오래오래 눈을 감고 학교까지 가야만 했다
겨드랑이 땀 냄새가 흥건했다
학교 뒷문 울타리에 벌써 도착해 있었는데

앞머리가 폭탄먼지벌레의 집이 되었다

# 붕대 인간

눈뜨면 방탄소년단의 「봄날」만 듣는다
커다란 입으로 빵과 우유를 먹는다
아빠는 나를 쓸개 빠진 놈이라고 부르지만
나는 나를 붕대 인간이라고 부른다

이어폰으로 들어오는 설국, 아직도 나는 춥다
흰 눈은 세상 모든 발자국을 지우는데
오토바이 타다 죽은 너 때문에
내 마음의 골짜기로 눈보라가 휘몰아친다
눈앞이 캄캄해지도록 반성한다
다시는 오토바이 타지 말아야지
다시는 오토바이 가까이도 가지 말아야지
그렇게 너를 보냈듯이
나도 반짝이는 눈보라를 쫓아가고 있었다

깨어나 보니 붕대 인간이 되었다
숨만 붙어 있는 메기 인간이 되었다
먹고 자고 싸고 음악을 듣는 일

꿈이길 바랐지만 아침이면
고해 성사를 하듯 봄이 어떻게 빛나는지
이제 그 시간을 물어봐야 할 친구가 없네

# 나, 잘할 수 있는데

병원에서 한 달,
목뼈와 허리뼈는 갈아 끼울 수가 없지만
이제 기억난다, 모든 것이 엉망이었지만
나는 아프다
내 몸 곳곳에 딱지가 나 있다
내 안의 돼지는 죽지 않았다
나는 눈치나 보면서
별거 아니겠지 하고
죄는 아니겠지 하고
내 안의 돼지는 그러거나 말거나
나를 변기에 고정시킨다

항문을 쏘는 비데 물총,
콧구멍은 답답한데
똥구멍은 시원하다
문병 온 이모들이 얼굴이 좋다고 말한다
정신 차려라! 잔소리하지 않는다
나는 아직 미치지 않았는데

미친놈 취급 하는지, 다들 쉬쉬한다
쉬쉬하는 가족들이 무서워진다
나, 잘할 수 있는데

# 나의 첫 관심
인스타그램 6


깁스를 하고 학교에 다녔다
국어책은 꼭 챙겼다
츄파춥스를 어금니로 깨 먹었다
검지를 뜯었고 그 자리에
굳은살이 생겼다
한 손으로 뜀틀을 뛰다 꼬리뼈를 찧었다
앗! 눈물이 났다
친구랑 장난치다 손목이 돌아갔다
깁스를 했는데도 장난기는 여전했다

우연찮게 밴드 공연을 보았고
드럼 치는 게 멋져 보여서 드럼 학원에 다녔다
가끔 학교 빠진 것을 외삼촌에게 들켰다
그때마다 드럼 스틱으로 머리통을 맞았다, 아팠다
진짜 아팠다 아, 아파요, 소리도 지르지 못했다

시는 모르지만 집 근처에 김수영 문학관이 있어
김수영 전집을 들고 다녔다

마땅히 갈 데도 없지만 가끔 들러 시를 읽었다
삼 년 내내 말썽 피운 죄로 봉사 활동을 하면서
관심받지 못하는 사물들이 자꾸 눈에 들어왔다
깨끗하고 밝은 곳이 내가 있는 자리였다

# 검은 털 이야기꾼

검은 털이 자랐다
중요한 곳과 부끄러운 곳에서 잘 자랐다
검은 털 혼자 있는 힘껏 자란다
아무튼 굶주림과 비만을 걱정해도
검은 털은 자란다
봄이라 자꾸 졸음이 쏟아진다 해도
검은 털은 자라고
나는 「모노노케 히메」*를 보면서
이야기꾼이 되고 싶다는 생각을 했다
검은 털로 존재했던 세계를
따스하고, 자유롭고, 아름답게!

* 미야자키 하야오 감독이 만든 만화 영화.

# 다 함께

다 함께 할 수 있는 일,
할머니 집 마당 잔디밭에 누워서 별자리 이름을 외우자
밤이슬 물러날 때까지 다 함께 발가락을 말리자
한 마디 분명한 대답이 들려올 때까지 침묵하자

엄마! 가을 햇볕은 어째서 차가워요?
아빠! 달팽이는 지구를 돌릴 수 있나요?
엄마 아빠! 왜 나는 말귀를 못 알아먹나요?
이런 질문들을 잊지 않겠다고 눈을 깊게 감았지

다 함께 귓속으로 넘치는 풀벌레 하모니를 듣는 일
올해의 목표였는데
엄마와 아빠가 멀어졌다
다 함께 꼭 뭔가를 해야 좋은 것은 아니었다
말없이도 행복해지는 순간이 좋았다

# 매달리기

우리는 죽을 때까지 매달리기를 해야 한다
그림자는 종일 내 몸에서 매달리기 중이지만
나는 힘들어하지 않는다 그림자가 되고 싶다

떨어지지 않기 위해
새는 깃털 하나로 흔들리는 중력에 매달리고
물고기는 거꾸로 돋은 비늘로 강바닥에 매달린다

무언가에 매달려야 살아가는 것도 있고
무언가를 매달고 살아야 하는 것도 있다

# 말이 돼?


학교 와서 잠만 자는 녀석이 있었다

두꺼운 국어책을 베고 잠만 잤다
청소 도구함 옆에서
냄새나는 체육복을 입고 잠만 잤다
수업은 뒷전
책 표지와 대면하고 청청한 잠만 잤다
아무도 깨우지 않았다

중간고사 성적표 받는 날
담임 선생님 눈이 휘둥그레졌다

김민수! 잠만 자는데, 일등이네
말이 돼?
민수는 잠만 자는 것이 소원이라고 했다
엄마의 감시 속에
밤마다 올빼미처럼 죽을힘을 다해 공부했고
학교에 와서야 있는 힘을 다해 잠을 자는 거라고 했다

# 아, 냄새!


미술 시간, 판화 재료를 꺼내 놓느라고
화장실 가는 것을 깜박했다
오십 분 수업이니까 오줌은 참을 수 있다고
생각했는데
맙소사, 방광이 움찔
항문이 아찔

콧등으로 안경이 밀려 내려오고
눈은 깜박깜박
귓불이 붉어졌다
목덜미에선 땀방울이 줄줄 샜다

선생님! 저 똥 쌀 것 같아요
나도 모르게 큰 소리로 외쳤다

아이들이 낄낄거렸고
나는 빌떡 일어나 화장실로 뛰어나갔다
변기 위에서 힘을 주자

물찌똥이 쏟아진다
경직된 표정이 풀리자 판화 생각이 났다
코모도왕도마뱀과 물소를 파야지
웅덩이에 비치는 봄날의 오후를 파야지

그런데 어떤 표정으로 교실에 들어가나?
의자에 앉자마자 코 막으면서 아, 냄새!
호들갑 떠는 성수 녀석이 얄미웠다

# 어디인지 모르지만, 길을 찾아

체육 시간, 똑바로 서 있으라고 한다
국어 시간, 똑바로 글씨를 쓰라고 한다
영어 시간, 똑바로 발음 기호를 외우라고 한다
내 허리는 왼쪽에서 오른쪽으로 휘어져 있는데
똑바로 서 있는 것은 굳었거나 죽은 것이다
똑바르지 않은 것은 휘었거나 꼴같잖은 것이다
저 민달팽이는 곡선의 힘으로 계절과 계절을 걷는다

나는 옷 입고 벗는 것도 젓가락질도 굼뜬 소년
책가방을 메고 학교에 가는 것이 아니라
신발 뒤꿈치에 질질 끌려간다
침도 똑바로 뱉지 못해서 교복 소매는 거무튀튀하다
오늘도 엄마는 새벽 예배에 나가서
내가 똑바로 살게 해 달라고 기도했단다
그러나 나는 죽는 날까지 똑바로 못 살 성싶다
나는 바람 앞에서
비 앞에서
햇볕 앞에서 엎어지는 무당벌레,

나는 금세 일어나서 탈탈 먼지 털고 내 갈 길 간다
그게 어디인지 모르지만, 모르니까 더 행복할 것 같다

# 왼쪽 눈가 일곱 바늘

오전에는 이육사와 윤동주의 시를 읽었다
오후에 체육관에서 유도를 배웠다
도복을 입고 현수와 대련을 했다
현수의 옷깃을 잡고 업어 치기를 하려는 순간
현수는 이해할 수 없는 낙법으로
내 얼굴을 긁었다
왼쪽 눈썹이 후끈거렸다 만져 보니 피가 났다
현수가 째려보면서
내 잘못 아니다!
피가 멈추지 않아서 곧바로 보건실로 갔다
선생님은 연고를 바르면 된다고 했다
집에 있는데 상처가 더 벌어졌다
늦은 밤, 응급실 가서
일곱 바늘을 꿰맸다
다음 날 현수가 찾아와서 사과하는데
그냥 꺼지라고 했다 절대 사과 안 받겠다고
화를 냈더니, 꿰맨 자리가 따끔거렸다
나도 모르게 윙크를 했다

현수 왈, 사과 받아 준 거지? 역시 너는 천사야

야, 꺼……져, 욕하면 안 되는데

# 체육 시간 이후

우리 반 에어컨이 고장 났다
사고뭉치 반이니까
선풍기 앞에
턱을 내민 얼굴들이 모인다
퉁퉁퉁 걸걸걸
한쪽 날개 없이 돌아가는 선풍기
얼굴을 천천히 좌우로 젓는다
여드름 얼굴들
하마 같다

내 책상은 맨 뒷자리인데
통잠 자기 딱 좋다
쓰레기통 냄새
발 고린내
겨드랑이 스컹크 냄새
체육복 지린내
유통 기한도 없는 냄새들
스멀스멀 침 자국 번지는 교실,

해바라기처럼 꺾이는 얼굴들,
그래도 선풍기 바람이 가장 잘 부는 명당이
내 자리다

# 으라차차 씨름부

기린처럼 키가 크다고 씨름부 선생님이 찾아오셨다
너 씨름 잘하게 생겼는데, 씨름해 볼 테야?
제 몸을 보세요, 멸치잖아요 팔은 멸치 꼬리고요
그런 것은 아무 상관이 없단다
일단 먹고 몸을 쓰면서 살을 찌우면 된단다
저는 먹고 싸고 이런 것만 잘하는데요
바로 그거야!
그게 운동의 규칙이야
요 녀석 진짜 씨름 잘하겠는걸
사랑스러운 눈빛, 어찌할 줄 몰라
등허리에 난 수술 자국을 보여 드렸다
서른여섯 바늘 꿰맨 상처가 웃었다
선생님은 입을 벌리면서 말을 뱉지 못하셨다
허리만 아프지 않았다면
으라차차 씨름부에 들어가고 싶었다
유일하게 나의 재능을 발견해 준 것 같아
씨름부에 들라는 말, 좋았다

# 다짐

개학, 이제는 사물함처럼 잘 붙어 있을 것이다
세 번째 전학,
나는 학생 저니맨*이었다
청소 담당도 반장도 담임 선생님도 정해지지 않은 교실,
들어가기가 무서워진다
의자와 책상이 어떻게 여기까지 왔느냐?
묻지 않았으면 좋겠다
더는 학생부 앞에서 기죽지 않았으면 좋겠다
더는 교복 앞에서
칠판 앞에서 교무실 쓰레기통 앞에서
무릎 꿇고 울지 않을 것이다
아이들이 찌꺼기라고 놀려도
절대로 주먹을 날리지 않을 것이다
잠자코 주먹만 움켜쥐는 책이 될 것이다
잠자코 둥그러질 것이다 둥그러져야
상처 없이 지낼 수 있으니까

* 이곳저곳 여러 팀에 몸담았던 선수.

# 엄마는 환자, 나는 중환자

엄마는 자주 머리가 아프다고 했다
동네 산부인과에서 피 검사를 하고 MRI 사진을 찍었다
작은 혹이 자궁에서 발견되었지만
의사는 암은 아닐 거라고 걱정 말라고 했다
엄마는 눈이 쉽게 뻘게졌고
낯빛이 점점 창백해져만 갔다
그런 날에는 링거를 맞고 되살아났다

벚꽃이 피었다가 지고
번개가 밤하늘을 찢어 놓던 장마가 지나갔다
새로 이사 간 집 천장에 곰팡이가 새어 나오듯
석 달 만에 작은 혹이 주먹보다 더 커졌다
착한 암이라고 했는데 악성 종양이었다

엄마는 일주일 동안 구토 증상을 겪었지만
나는 아무것도 해 줄 수 없었다
엄마의 피가 흐르는 내 심장을 만지며 생각한다
엄마는 나 없이 살아갈 수 없는 환자이고

나는 엄마 없이 살아갈 수 없는 중환자라는 걸 알았다

# 엄마의 곤란

다행히 학교를 떠나지는 않았다
국어책을 베고 잠을 잘 수 있었다

헬스장 등록 후,
아침저녁으로 계란만 삶아 먹었다
이틀 지나자 계란 한 판이 사라졌다
사흘 굶어도 계란 따위 안 먹었는데
흰자만 골라 먹게 되었다

병원 청소 일 마치고 온 엄마에게
처음으로 나의 근육을 보여 주었다
엄마, 이 알통 좀 봐
그런데 엄마, 나 계란 먹어야 하는데
계란 없어?
요즘 가장 싼 게 계란 아닌가?
이놈아, 뉴스 좀 봐라, 계란이 금값이다!

# 마지막 시험

마지막 시험이다
지시문과 관계있는 것을 고르시오
오늘도 나는 관계없는 것만 골랐다
시험지를 펼쳐서 얼굴을 덮고 잠을 자려 했다

창문을 뚫고 들어온 햇볕, 시험지를 달궜을까
따스해서 좋았다

세상은 관계를 맺고 살아가는 거라고
담임 선생님은 말씀하셨다
그러나 나는 그 관계가 더 불안을 주는 거라고
말하고 싶었다
북극으로 여행을 가고 싶었다
마지막 시험이니까
나는 잠을 자면서 북극곰과 관계를 맺고 있었다
아무 데서나 잠 잘 자는 방법을 묻고 있었다

제3부

마음을 쓸 줄
아는 사람

# 내가 가장 예뻤을 때*

1

내가 가장 예뻤을 때, 이름표 겨우 보이는 교과서를 멀리하였다 동네 형들이 학교 가지 말자며 끌고 다녀도 나는 싫어,라고 말하지 못했다 맨 처음에 싫다고 분명하게 말했다면 무서움이나 두려움 말고 콧노래를 흥얼거렸을 텐데 아름답게 보이는 것이 흐렸고 거짓말만 늘어놓기 바빴다

내가 가장 예뻤을 때, 나는 나약해서 자주 돈을 뺏겼고, 올가미로 느껴졌던 형들과의 질긴 관계도 끊지 못했다 형들이 담배 못 피운다고 조롱했지만, 나는 무관심이 제일 힘들었으므로 못된 짓만 골라 했다 학교에서 불량 학생으로 찍혀서 불량 식품만 먹고 다녔다

내가 가장 예뻤을 때, 나는 저니맨이 되었다 벌써 세 번째, 중학교 두 번, 고등학교 한 번, 방황을 끝내고 돌아왔지만 내 곁엔 아무도 없었다 함께 굴러다니는 모나미 볼펜만 "그래 놀아라, 기죽지 말고 더 놀아야 한다."라고 속삭였다 내가 하고자 하는 일과 내가 하는 말은 가식이었고 허세였

76

고 수식이었다 아무도 믿어 주지 않았다

2

내가 가장 예뻤을 때, 빨리 어른이 되어서 독립하고 싶었다 제멋대로 하고 싶었다 미술 학원에 등록했지만 떠든다고 선생님께 뺨따귀를 맞았다 고막이 윙윙거렸다 집에 와 학원 때려치운다고 하니까 그러면 그렇지? 내 그럴 줄 알았다! 형은 비아냥거렸다 돈 까먹는 거머리 새끼라고 말했다

내가 가장 예뻤을 때, 나는 나답다는 것이 무엇일까 생각해 보았다 내가 하는 말은 변명이라고 또 비웃을 테지만 나는 자긍심이 없으므로 용기를 가져야 했다 내 생각은 그동안 어디에 있었지? 생각 없이 살아왔지만 생각 있게 살아 보기로 마음먹었다 용서해라, 친구들아 그사이 일들, 나는 나를 사랑하는 방법을 몰랐다

내가 가장 예뻤을 때, 카프카의 「변신」을 읽었다 그레고

르 잠자의 몸이 흉측한 벌레로 발견되었을 때 충격을 받았지만 동질감을 느꼈다 나는 사람이 아니라 거머리이므로, 이젠 거머리로 살아야 하니까


3

내가 가장 예뻤을 때, 도스토옙스키의 『백치』를 읽었다. 아름다움이 세상을 어떻게 구원할까? 이런 생각을 오래 곱씹었으나 나는 아름다운 것이 무엇인지 몰랐다 뭔가 곱고 아스라하게 빛나는 것인 줄만 알았으니까 그림을 그리면서 악기를 다루면서 시를 쓰면서 인스타그램을 하면서 아름다운 것이 무엇인지 조금 알게 되었다


아름다움이란 처음 가는 마음이거나 팥 냄새 나는 할머니의 절굿공이, 시월 해 질 녘 들깨밭의 희붐한 먼지들이었다 인스타그램에 사진을 올리자 답글이 마구 달렸다 센스 있다는 말이 가장 좋았다 한 가지의 꿈도 실현되지 못했는데, 소통하는 것도 공부라는 생각이 들었다 즐거움이 생겼다 하루에 한 번 비타민 C를 챙겨 먹고 힘이 솟길 기

도했다

　내가 가장 예뻤을 때, 창밖에서 우는 조막만 한 붉은 새
가 알은체했지만 이름을 몰라서 그냥 딱새라고 불렀다 그
래도 다행인 건 조금씩 아는 것이 많아진다는 것이다 만만
해지는 것도 조금씩 늘고 있다는 것이다

* 이바라기 노리코의 시 「내가 가장 예뻤을 때」의 제목을 빌려 옴.

# 사진가


나의 꿈은 사진관을 갖는 거다
검게 그을린 태양 속에서
땅거죽 벗고 나오는 매미 날개를 찍는 거다
피 묻은 눈알, 해괴한 아름다움을 찾는 거다

지평선과 수평선이 있는 땅끝으로 가고 싶다
땅끝엔 뻥 뚫린 절벽이 서 있을까?
눈과 귀에 잡히는 파도 절벽 아래
조용히 이름 붙일 수 있는 것들이 많겠지?

오늘은 개기 일식, 그 순간을 찍었다
달 속에서 꽃들이 걸어 다니는 소리
흑요석 뱀이 똬리를 트는 소리
새와 새가 씨앗으로 돌아다니는 소리

어둠에게 화상 입은 달무리, 파래진다
내 몸은 프레임이고 나는 달에 가 닿고 싶어
셔터를 누른다

푸른 공기 속에서 검지를 직각으로 꺾는다
출렁, 지느러미 달린 달, 큰 산으로 숨는다

# 악몽


친구가 문방구와 슈퍼에서 물건을 훔쳤다
그 물건들 함께 쓰고 함께 나눠 먹었다

어느 날 형사가 학교로 찾아왔다
김 아무개 아냐고
물었다
나는 거짓말도 못 하고
잘 안다고 말했다

둘이 거머리같이 붙어 다녔더만
다 찍혔어
전 하나도 훔치지 않았어요

이 녀석 수갑 채워서 가야겠네
전 진짜 훔치지 않았다고요

이 녀석, 지 부모 피 잘 빨아먹겠는걸

그날 이후, 나는 몹쓸 거머리가 되어 버렸다
진짜 뜨끔거렸다, 아니 몹시 화끈거렸다

깨어 보니 몸이 움직이지 않았다

## 조용한 이야기

좋아하는 여자애가 있었다

그 애 앞에서는 아무 말도 못 하고
나를 짓궂게 괴롭혀도
내 연필과 볼펜을 가져가도
그냥 가만히 있었다

어느 날 그 애는 대학에 들어갔다
문예 창작학과에 다닌다고 했다
'참, 깨알 글씨로 노트에 무언가를 쓰고 다녔지'
그런 거군, 그 애는 동갑이지만 일 년 선배였다
어느 날 시집 한 권과 편지를 받았다
내가 보고 싶다고 했다

막 나의 봄이 시작됐다
친구 왈, 야 너도 시 쓸 거야?
야 인마, 문예 창작학과는
감수성 예민한 애들이 가는 거야

하하하, 너도 예민하지? 그렇지?

# 기적을 파는 상점

기적을 파는 상점이 있다면
그림자를 사 오고 싶어

그림자는 갈팡질팡하지 않지
그림자는 집요하게
나를 따라다니지 그래서 소중하지

그림자에게는 거짓이 없지
그림자는 눈과 귀를 닫지 않고
얼굴을 감싸지도 않지

그림자가 사라질까 봐 걱정하던 밤이 있었지
그림자는 오직 육체가 있어야 나오는 법

그림자의 가치를 알았을 때
나는 정신이 혼미해졌지
나는 그림자를 끌어안고 자는 사람
기적을 파는 상점에서

볕 쬐는 일과 공기 마시는 일이
기적이라고 했지
나만 그걸 모르고 있었지
나만 푸르게 잊고 있었지

# 뭐지?


신발 사이즈도 그대로
허리 사이즈도 그대로
손톱 뜯는 것도 코딱지 파는 버릇도 그대로인데

키만 훌쩍 컸다
그러고 보니, 바지가 복사뼈 위로 올라갔네

꺼벙해 보인다고
형이 한 단만 늘여 입으라고 했다

세탁소에 갔더니
학생, 바짓단 올려 입는 게
핫 패션이야 그냥 입어!

뒤통수 긁적이면서 중얼거렸다
뭐, 내가 입으면 다 핫하대?
저번엔 롱 패딩이더니, 이젠 바지
모델 학원 등록해 봐?

# 물 줘도 난리

일 층은 아버지 새시 공장,
이 층은 어머니 부업 장소,
내가 가끔 돕는 것이 화초에 물 주는 일이다
물 없이 석 달 열흘을 사는 식물도 있는데
그것도 모르고 물을 몽땅 주었다
이 층 창가에서 거름 냄새가 났다
꽃이 썩고 있었다
어, 왜 썩었지?
물 줘도 난리구먼
일부러 또 물을 많이 주었다
폭염이라 말라 죽었나 보네
어, 그런데 줄기가 왜 물렀지?
생쥐같이 잽싸게 튀었다
안 그래도 눈칫밥 먹는 신세인데
찬밥이라도 얻어먹을 수 있을까?

# 속초 바다에서
인스타그램 7


바닷가 태양은 카뮈를 떠오르게 한다
사방이 이글이글 탄다, 앞을 똑바로 바라보지 못했다
해변의 모래사장이 너무 뜨거워서
맨발로 걷지 못했다

너울 파도가 와서 실종이라는 말만
띄워 놓고 가듯이
해안 경비원이 사라진 사람을 찾아 수색하듯이
나는 속초 바다에서 사라지고 싶었다

파도에 발을 담그고 생각 없이
해파리를 만졌다
손가락이 쓰라렸다
태양이 쏘아붙여 뒷걸음쳤는데
바다 한가운데였다
자유 없이 산다는 건 끔찍한 일이다
바닷물을 먹어도 죽지 않았다
하필 나는 수영을 잘한다

## 일상을 파는 상점

일상을 파는 상점에 가면
가장 먼저 나를 기다려 주는 가족을 사리
그리고 사막을 사리
사막에 바오바브나무를 심으리

바오바브나무가 크게 자라는 동안
책을 읽으리
존재하면서 존재하지 않는 것이 무엇인지
보이면서 보이지 않는 것이 무엇인지
질문하지 않고
침묵하는 법을 배우리
사막 딱정벌레의 곡예에
손뼉 치며 감탄할 줄 아는 사람이 되리

# 담아 본다, 나를

인스타그램 8


책상 위의 책을 밀어 놓는 시간
플라타너스 골목으로 건너오는 햇빛을 바라보는 일
띄엄띄엄 비치는 그늘이 얼굴로 쏟아진다


종종 아이들과 입씨름을 하고 나면
이따위도 저따위도 아닌 감정들이 북받친다
오늘도 쩨쩨한 몸짓으로 소심한 방어만 했다
아무도 없는 교실,
마대 봉을 빼어 들고 팍팍 휘두르고 싶었지만
인스타그램에 올릴 사진 하나만 찍는다


햇빛에 비친 먼지들 몸에 잘 들러붙었다
마대 봉을 잘 타고 오르는 개미,
내 손목을 지나 와이셔츠 팔목으로 들어간다
개미는 나를 콕 물었지만
나는 개미를 죽이지 않았다
창밖, 나뭇잎 위로 올라가라고
손가락 다리를 놓아 주었다

새로 산 아이폰 셔터를 누른다
꼬리로 제 목을 감고 자는 고양이를
앞니 하나로 찐빵을 먹는 할머니를
모래가 자꾸 쏟아지는 레미콘 바퀴를
새소리로 밝아지는 운동장을 찍었다
아무 일도 일어나지 않았다고 나를 담아 본다

## 가만히 있어도

가만가만 걸으라고 했다
발을 끌고 걸으면 평생 발로 끄는 일을 한다고 했다

가만히 있어도 나는 자란다
가만히 있어도 나는 눈물이 나고 코피가 쏟아진다

가만히 반항하지 않고
가만히 배가 고픈데
먹지 않고 시시하지 않게 공부하는 법은 어디에 있을까?

개도 사람을 만나면 가만히 있지 않는데
나보고 가만히 있으라고 하니까
내가 그냥 가마니가 된 느낌

그런데 가마니에 들어간 것들은 가만히 꿈틀거리는데
그건 모르지?
가만히 나를 일으키는 힘, 막 잠에 들려는 참인데

가방에서 스멀스멀 기어 나오는 햄버거 냄새
그런데 새벽 두 시에
밥이 먹고 싶다
누가 저 달에 치즈 얹어 주먹밥을 만들어 주세요

# 고슴도치

앞으로 나는 고슴도치가 되어도 좋을 거야
당장 내일 가시가 없어진다고 해도
고슴도치는 고슴도치이니까

엉뚱하게도 나는 매일매일 컵라면을 먹고
고슴도치는 웅크리고 밥을 먹고
나는 컵라면을 먹는데도 흘리고 먹고
고슴도치는 불안을 흘리고 가시를 세우네

고슴도치처럼 늘 고개를 숙이고 다녔다
앞머리가 눈을 가려도 좋았다

# 재

인스타그램 9


정수원 화장터, 조용히 할아버지 이름을 불러 본다
관이 화구 속으로 들어가고, 산 것들이
울음을 토해 낸다
영혼은 어디에서 어디로 가는 것일까?
할아버지의 몸은
재가 되기까지 두 시간이 걸리지 않았다
뼈만 남은 저 죽음,
몸무게와 머리카락과 그림자도 없는 저 죽음,
뼛조각은 곱게 부서져
항아리에 담겼다, 항아리를 껴안고 버스를 탔다
허허 웃으면서 눈물 흘리던 할아버지
재가 된 할아버지를 안고 호국원으로 간다
따스함으로 나를 환대하는 느낌
허벅지 안쪽이 점점 뜨거워진다
장례 버스 안에서 내 얼굴만 화끈거린다
허벅지에서 가슴까지 항아리를 올렸다 내렸다 반복했다
마지막까지 나를 안아 주려는 할아버지 마음을 읽었다

# 탁구
인스타그램 10


책상 두 개 붙여 놓고
국어책과 수학책과 사회책으로 네트를 세우고
탁구를 친다

'쉬는 시간에 간식 사기'

라켓이 없으니 실내화 벗어 들고
탁구를 친다

핑! 퐁! 주고받는 대화
선을 튕겨 내는 에지,

주목받는 것이 이렇게 신나다니
쉬는 시간 십 분이 이렇게 짧다니

잘 봐, 공을 봐야지
신발 바닥을 보면 어떡하냐

오늘 간식 내기 탁구는 졌다
밤에 그렇게 연습했는데
복식이라 쉽지 않네

# 시베리아허스키

내 몸엔 털이 너무 많았다
시베리아허스키 같았다
학교 갈 때마다 입속이 말랐다

시베리아허스키, 오늘 뭐 하냐
너 꼭두각시처럼 행동할래?
학원 가지 말자
당구장이나 피시방 가자
마음은 같이 놀고 싶지만
몸은 학원 버스가 서는 쪽으로 간다

그때 진짜 시베리아허스키가 지나갔다
코를 킁킁대는 시베리아허스키,
무서웠지만 내 죄를 들키고 싶지 않았다

학교에서도 잔소리
집에서도 잔소리
학원에서도 잔소리

영영 나를 찾을 수 없는 곳에서
저 덩치 큰 시베리아허스키와 몸을 바꾸고 싶었다

햇빛은 금갈색이고
바람도 사람을 피해 길을 건너가듯이
너 누구니? 묻는 사람 없는
철 지난 바닷가에서 헤헤거리며 뛰어놀고 싶었다
먹지도 씻지도 않고 종일 잠만 늘어지게 자고 싶었다

# 강
인스타그램 11


반짝거리면서 흘러가는 것이 있다면
그건
강,


강에서 물수제비를 날렸다


물고기는 내 그림자에도 놀란다
강을 쉽게 거슬러 오른다
그러나 강은 자꾸 바다로 흘러간다


나는 여기에 뭘 하려고 왔는지 모른다
강에서는
새가 나는 법도 잘 보이고
엎드려 있는 크고 작은 돌의 등도 보인다


딴 세상으로 휩쓸려 가지 않으려고
떼 지어 가는 저 피라미처럼
강에서는 기쁜 일도 슬픈 일도

쉽게 흘러간다
강물 혼자 걸었다
울컥 무언가 쏟아질 것 같았다

나는 앞으로 걷는데 강은 뒤로 흘렀다

# 교내 백일장 수상

나는 잠 벌레였다 수업 시간에도 잠, 쉬는 시간에도 잠,
지하철이나 버스에서도 잠,
등교 첫날, 자다가 오이도역까지 간 적도 있었다
그렇고 그런 잠만 잔 것 같다

잠에서 깨어나면 볼펜으로 눌러쓴 글씨가
손끝에 묻어 있었다
내 이름을 속으로만 불러 보면서

한쪽 눈을 감고 사물을 봤다
한쪽 눈을 뜨고 창문을 봤다
여름 성경 학교에 빠지지 않은 내가 떠올랐다
유통 기한 지난 우유만 먹는 엄마가 떠올랐다
설탕 가득 뿌린 토마토만 좋아하는 아빠가 떠올랐다

교내 백일장을 치르고 있었다
'장래 희망'이 글제였다
나는 신발 끌지 않는 사람이 되겠다고 썼다

나는 양말과 옷을 잘 개키는 사람이 되겠다고 썼다
주먹을 불끈 쥐고 늘 가만두지 않겠다는 말을 했는데
이젠 식탁에 공손하게 밥그릇을 놓는 사람이 되겠다고
썼다
살기 위해 먹는 것도 아니고 먹기 위해 사는 것도 아니라
무엇인가, 아름다운 것에 걸려 넘어지는 사람이 되겠다
고 썼다
종이와 연필만 있다면 세상 끝까지 걸어가는 사람,
시인이 되겠다고 썼다

# 대학 입학 원서

이불 뒤집어쓰고
시집을 읽었다
플래시 불빛은 나를 잘 비춰 주었다
못 올라갈 나무라고 생각하는 대학에 원서를 썼다
생각 없이 쓴 것은 아니었다
그래도 좋아하는 것이 생겼으니까

모르는 자신감이 생겼다
여름 나무를 시집 여백에 그릴 때같이
그런 자신감이 생겼다
이제는 어떤 일을 해도 두렵지 않을 것 같았다

모르는 게 많아서 앎이 짧은 게 아니라
알아 가는 게 싫어서 모르는 게 많았다
입 다물고 있는 사람의 혀가
말을 하고 싶어서 더 붉어지듯
백 일 동안 하루 네 시간만 잤다
「내셔널지오그래픽」을 보면서

카메라로 사물을 투시한다고 해도
모든 것이 다 보이는 것이 아님을 알게 되었다
아, 이걸 시로 써야지
새벽이 너무 빨리 온다는 것이 아쉬웠다

# 합격증
인스타그램 12


떨지 않고 말해야지
당당하게 말해야지
그렇게 생각했는데
대학 합격했다고 아빠에게 말하는 순간
얼굴이 빨개지고 다리가 덜덜 떨렸다
떨지 않으려 애썼지만 계속해서 다리가 떨렸다
아빠는 흥분을 넘어서
연신 장하다고 외쳤다
눈물까지 보이셨다

남들 다 가는 대학인데
이렇게 기뻐할 줄이야

난, 널 믿었다
아빠가 안아 주는데
나는 가만히 있었다

형이 뭐 필요한 거 없냐고 물었다

아직,이라고 말했다
엄마는 등록금이 얼마냐고 물었다
아직, 몰라요
당장은 살아야 하니까, 계속해서
질문이 쏟아지기 시작했다


나, 아직 대학 문턱도 못 갔어요

# 안경

칠판 글씨들이
나무 같았다
물고기 같았다
뭉게구름 같았다

눈을 비비고 크게 떠 보았다
글씨가 사슴뿔 같았다
해바라기 같았다
박새 같았다
민달팽이 같았다

어쩔 수 없이 짝의 노트를 보고
베끼게 되었다
뭐야, 근시야?

교실이 출렁거리고
모서리가 편편해 보인다

안경을 맞춰 쓰고서 세면대 거울로 얼굴을 봤다
귀밑머리가 삐져나와서 가위로 잘랐다
잘린 부분, 더 매끄럽게 잘랐다
안경을 썼을 뿐인데 집중력이 생긴다
나의 두 번째 눈, 투명하고 완벽하다
안경 쓴 줄도 모르고 세수할 날이 올 것이다

# 말년의 양식

엄마는 요양사 자격증 시험공부를 하다 말고
골골대며 초저녁잠을 건너고 있다
뒷덜미부터 서늘하게 올라오는 한기 때문인지
헛기침 두어 번 내뱉고 몸을 모로 만다
엄마는 외할아버지가 갑작스레 돌아가신 뒤
우는 대신 책을 뒤적거리는 시간이 많아졌다
끼고돌던 제 자식들 모두 잠잘 때
죽음 앞에서 형제들이 싸웠다고 했다
엄마의 잠과 꿈이 엉키는지 잠꼬대만 깊다
아들은 필요 없다고 하는 소리—
누가 엄마의 마음을 부서지게 하였나?
요양사 자격증 교재, 한쪽에 쓴 글귀
'말년의 양식'
요양사 —자식들에게 짐 주지 말자
다짐으로 쓴 엄마의 글씨,
(엄마는 늙지도 않았는데 벌써부터 그런 생각을 하다니)
내 속은 타들어 가는데
형은 코 골면서 잘도 잔다

# 엄마

뒤에서 나를 바라보는 사람
유행 지난 내 옷을 입고 자는 사람
내 농구화를 신고
병원으로 출근하는 사람

나만 모르게 조용히 어깨를 수술한 사람
매일 속아 주면서 나를 대접해 주는 사람

―엄마, 이번 생은 망했어!
―한숨 자고 이야기하자, 저녁엔 네가 좋아하는 닭볶음
탕 해 줄게

뒷말이 천생인 사람
어제도 그제도 오늘도 엄마는 그저
내 등 뒤에서
마음을 쓸 줄 아는 사람이 되라고 기도를 하네
나는 아직 깊은 잠에 친친 감기지 않아
눈알이 흐리게 따끔거렸네

# 이토록 씩씩한 서정의 세계

**주민현** 시인

 

 

이병일 시인 하면 "주 시인!" 하고 부르는 씩씩하고도 큰 목소리가 떠올라 저절로 웃음이 난다. "형부라고 불러, 형부!" 낯을 가리며 쭈뼛대는 내게 선뜻 곁을 내준 마음이 지금도 고맙다. 절친한 소연 언니와 시인 부부로 아들 서진이와 함께 복작거리며 삶의 의미를 만들어 가는 모습을 보면, 마음이 메마르거나 차가워질 때도 세상의 어떤 이들은 저렇게 사랑이 넘쳐 가족이 되는구나, 하는 생각이 든다.

시인의 첫 청소년시집 『처음 가는 마음』은 그의 건강하고 따뜻한 마음을 똑 닮았다. 그동안 잃어버린 행복과 서정의 시공간으로 우리를 자연스럽게 이끌고 들어간다.

"내가 가장 잘하는 것은 귀동냥이었다/귀로 세상의 소리를 듣는 것은 중요하다"(「나는 복도체」)라는 구절처럼 어린 시절의 나도 세상의 소리를 듣는 걸 참 좋아했다. 이제 막 걷고 뛰기 시작한 우리에게 세상은 놀랍고 신기한 곳이었다. 한 걸음 떼면 커다란 나무가 보이고 또 한 걸음 떼면 비행기가 보여서 눈앞의 모든 것이 보물 상자처럼 보이던 때, 세상은 매일 새로운 풍경과 색채를 보여 주었다. 나뭇가지의 뾰족함에 놀라 울음을 터뜨리거나 강아지의 작은 움직임에 까르르 웃음을 터뜨리며 우리는 자랐을 것이다. 바로 그 '처음 가는 마음'의 세계 속에는 처음 경험하는 사랑의 놀랍고 슬픈 마음, 처음 친구들과 못된 짓을 하는 즐거움과 짜릿함, 처음 맛본 좌절의 쓰라림이나 성공의 기쁨이 있다. 그리고 그 색색의 감정들이 세상을 총천연색으로 보이게 한다.

청소 시간, 이 층에서 창문을 닦았다
일 층에서 점심시간에 입씨름했던 친구가 놀렸다

야, 너 어제 바지에 똥 쌌다며
네 체육복 엉덩이, 누런색 내가 다 안다 다 봤다
야, 용기 있으면 뛰어내려 봐

나도 모르게 번쩍, 일 층으로 뛰어내렸는데
두 발이 떨어지지 않았다

—「당장」 부분

그런데 그 '처음'의 세계가 늘 행복하거나 따뜻하지는 않다. 친구가 똥 쌌다고 놀리자 이 층에서 뛰어내리는 호기를 부리다가 정작 "두 발이 떨어지지 않"는 사고를 당하는 등 때로는 부끄러움이나 분노, 두려움이나 무서움이 뒤엉켜 논리적으로 설명할 수 없는 사건과 사고가 일어난다. 그리고 이러한 일이 아이에서 청소년, 청소년에서 어른이 되어 가는 동안 친구에게 말할 수 없는, 가족들에게는 더더욱 말할 수 없는 혼자만의 비밀이 된다.

그럼에도 그 마음을 그리는 『처음 가는 마음』의 세계는 자못 밝고 씩씩하다. 따뜻한 유머가 있다. 가족들 앞에서 완전히 무장 해제가 되어 우습고 재밌고 정다운 말을 끊임없이 쏟아 내는 시인의 평소 모습을 쏙 빼닮은 듯이 거리낌 없이 상처를 드러내면서도 그 안은 제법 따뜻하고 품이 넓다.

내 키는 188센티미터
추위를 많이 타는 체질이라
발목까지 내려오는 롱 패딩을 입고 다녔다
기린처럼 작은 머리통 매달고
목선 가린 목 보호대를 차고 다녔다
다들 농구 선수냐고 물었다
오토바이 사고 나서
목과 허리에 찬 보호대를 가린 건데

엉뚱하게도 학교에서는 롱 패딩이 핫 패션이었다
전에 입던 구스다운은 아버지의 외출복이 되었다
　　　　　　　　　　　　　　　　　　—「롱 패딩」 전문

　이를테면 이런 부분, 오토바이 사고로 다쳐 보호대를 찼음
에도 롱 패딩이 핫 패션이 되었다는 대목에서 위트가 느껴진
다. "뭐, 내가 입으면 다 핫하대?/저번엔 롱 패딩이더니, 이젠
바지/모델 학원 등록해 봐?"(「뭐지?」)에서는 당당하고 자신감
넘치는 모습이 드러난다. "학교 가야지,라는 말/내가 사랑받고
있다는 뜻이었는데"(「하여간」)에서는 학교 가라는 부모님의
잔소리조차 사랑의 일부라는 걸 아는 밝고 씩씩한 서정이 자리
한다.
　이 밝고 씩씩한 서정은 요즘 같은 때 더욱 소중히 다가온다.
우리의 삶은 자주 슬프고 세계는 우울한 전망 속에 있으며 지
속적인 기후 재난으로 미래에 대한 비관론이 우세하다. "마스
크 쓰고 학교에 간다/코로나19 때문에 어쩔 수 없다/마스크는
또 하나의 얼굴이 되었다"(「마스크 유행」)라는 구절에서처럼
코로나19 탓에 우리는 우려와 염려가 쏟아지는 사회에서 살아
가야 한다. 입 모양을 보고 말을 배우고, 타인과 상호 작용하며
사회성을 길러야 하는 시기에 전반적으로 발달이 지연되는 아
이들이 늘고 있다고 한다. 코로나는 우리의 일상과 삶의 풍경
을 바꾸고 있다. 마스크가 "또 하나의 얼굴"이 되어 우리의 삶

을, 삶에 대한 감각을 전면적으로 뒤흔드는 가운데 우리의 삶은 더더욱 예측할 수 없는 방향으로 흘러갈 것이다.

하지만 변하지 않는 것도 있다. 마스크를 썼지만 여전히 친구들과의 수다는 즐겁고 재미있다. 오늘 해야 하는 공부나 일을 끝내면 즐겁게 놀 수 있는 시간이 찾아온다. 다치면 아프고 무릎이 까지면 눈물이 나온다. 그런 단순한 감각과 감정의 세계 속에서 우리는 살아 있음을 느낀다.


　　화산 지대의 민달팽이
　　분홍색이었다
　　불의 숨결이 여전히
　　몸속에 녹고 있다는 징조였다

　　불이 꺼지는 소리와 함께
　　민달팽이의 외길은 축축했다
　　사막을 마시고 강물을 만들듯
　　달팽이는 오래도록 살았고
　　결국 삶의 형태를 바꾸었다
　　옳게 살았다고 믿고 싶다
　　나는 고통에 민감한 소년이고 싶다
　　　　　　　　　　　　　　　　　—「분홍민달팽이」 전문

화산 지대에 오래도록 살던 달팽이가 몸의 색깔을 분홍색으로 바꾸었듯이, 우리도 고난과 고통 속에 적응해 가며 몸을 바꾸어 갈 것이다. 그리고 그 고통의 무늬는 삶의 무늬가 될 것이다. 미래를 살아갈 우리에게는 고통을 바라보면서도 그 고통에 지지 않고, 절망을 직시하면서도 그 절망에 짓눌리지 않는 희망과 용기가 필요하다. 기후 위기가 다가오더라도, 바이러스가 기승을 부리더라도 여전히 오늘 해야 하는 일들을 하고, 내일에 대한 기대와 희망을 품고서 좀 더 나은 세상을 꿈꾸며 살아가야 한다. 그래서 우리가 살아갈 미래에 대해 낙관도 비관도 하지 않으면서 있는 그대로 받아들이며 밝고 씩씩한 태도를 갖는 것이 소중하다.

　세계적 재난 앞에서 타인의 고통에 감응하고 나의 고통을 감각하는 시간이 필요하다. 지나친 슬픔이나 절망에 빠지지 않으면서 나와 타인의 고통을 깊이 들여다보려고 노력해야 한다. "옳게 살았다고 믿고 싶"은 마음, 그런 윤리적 태도 속에서 "고통에 민감한 소년"의 눈으로 바라보는 세상은 나와 타인의 고통에 대한 감각으로 이어진다.

　그러나 우리는 고통과 슬픔 속에서도 즐겁고 자유로울 수 있다. 새로운 세계에 대한 감각을 활짝 열고 무언가 은밀하게 이제까지와는 다른 새로운 이야기를, 새롭게 다가올 세상을 기대하고 그릴 수 있다. 그것은 바로 '이야기'에 대한 욕망을 통해서이다.

검은 털이 자랐다
중요한 곳과 부끄러운 곳에서 잘 자랐다
검은 털 혼자 있는 힘껏 자란다
아무튼 굶주림과 비만을 걱정해도
검은 털은 자란다
봄이라 자꾸 졸음이 쏟아진다 해도
검은 털은 자라고
나는 「모노노케 히메」를 보면서
이야기꾼이 되고 싶다는 생각을 했다
검은 털로 존재했던 세계를
따스하고, 자유롭고, 아름답게!

—「검은 털 이야기꾼」 전문

사회적인 편의나 통념상 특정한 나이대를 묶어 '청소년'이라 구분 짓지만, 우리는 나이가 들어서도 계속해서 자라고 꿈꾸고 희망하며 좀 더 나은 인간으로 성장하려고 애쓴다. 그런 의미에서 이 재난의 시간을 버티며 성장과 확장을 희망하는 한 "검은 털은 자란다".

'모노노케 히메'처럼 자라 온 시간들을, 또 앞으로 자라날 시간들을 "따스하고, 자유롭고, 아름답게!" 이야기로 풀어 내는 한, 우리는 고통의 시간 속에서도 앞으로 살아갈 힘을 얻는다.

"시는 모르지만 집 근처에 김수영 문학관이 있어/김수영 전집을 들고 다녔다/마땅히 갈 데도 없지만 가끔 들러 시를 읽었다"(「나의 첫 관심」)라는 건 아마도 그런 연유에서가 아니었을까. "살기 위해 먹는 것도 아니고 먹기 위해 사는 것도 아니라/무엇인가, 아름다운 것에 걸려 넘어지는 사람이 되겠다고 썼다"(「교내 백일장 수상」)에서처럼, 우리는 아름다운 것에 걸려 넘어지지 않고서는, 그것들을 말하고 쓰지 않고서는 견딜 수 없고 버틸 수 없다. 이병일 시인은 고통을 말하면서도 아름다움을 포착하는 감각을 놓치지 않는다.

내가 가장 예뻤을 때, 나는 나약해서 자주 돈을 뺏겼고, 올가미로 느껴졌던 형들과의 질긴 관계도 끊지 못했다 형들이 담배 못 피운다고 조롱했지만, 나는 무관심이 제일 힘들었으므로 못된 짓만 골라 했다 학교에서 불량 학생으로 찍혀서 불량 식품만 먹고 다녔다

(중략)

아름다움이란 처음 가는 마음이거나 팥 냄새 나는 할머니의 절굿공이, 시월 해 질 녘 들깨밭의 희붐한 먼지들이었다 인스타그램에 사진을 올리자 답글이 마구 달렸다 센스 있다는 말이 가장 좋았다 한 가지의 꿈도 실현되지 못했는데, 소

통하는 것도 공부라는 생각이 들었다 즐거움이 생겼다 하루
에 한 번 비타민 C를 챙겨 먹고 힘이 솟길 기도했다

—「내가 가장 예뻤을 때」부분

시집에 실린 시 가운데 가장 길고 눈에 띄는 이 시에서는 이
바라기 노리코가 동명의 시에서 폐허가 되어 버린 전후 시대에
독특한 희망의 목소리를 내었듯이, "내가 가장 예뻤을 때", 즉
가장 찬란하게 빛나는 한 시절과 아름답지 못한 현실을 병치하
며 아름다움을 탐구해 간다. "내가 가장 예뻤을 때, 나는 나약
해서 자주 돈을 뺏겼"듯이 흔히 가장 젊고 아름답다고 일컫는
시절에도 우리는 자주 나약하거나 방황을 하고 못된 짓을 한
다. "내가 가장 예뻤을 때"의 '예쁨'은 단순히 미학적인 아름다
움을 가리키는 것이 아니다. 슬프고 못나더라도 "나는 자긍심
이 없으므로 용기를 가"지는 그 마음, 나다운 것을 사랑하고 삶
을 사랑하는 마음에서 오는 아름다움이다. 또 그때의 아름다움
이란 물질적인 것에서 오는 것이 아니라 "처음 가는 마음이거
나 팥 냄새 나는 할머니의 절굿공이, 시월 해 질 녘 들깨밭의 희
붐한 먼지들"에서 온다.

'인스타그램' 연작시에서 시인은 이 '아름다움을 감각하는
한 요소'로 강에서 물수제비를 뜨거나 간식 내기 탁구 시합을
하는 일상의 평범한 장면을 담아낸다. 또는 "앞니 하나로 찐빵
을 먹는 할머니"(「담아 본다, 나를」)처럼 누군가를 유심히 관찰

해야 발견할 수 있는 장면이나 "영혼은 어디에서 어디로 가는 것일까?"(「재」)처럼 곰곰이 생각해야 답을 얻을 수 있는 질문을 담기도 한다. 인스타그램을 통해 우리는 서로 평범한 일상의 장면들을 나누고, 아름다움이라 부를 만한 어떤 장면들을 간직할 것이다. 우리가 사랑하고 아끼는 주변 사람들과 함께.

"세상은 관계를 맺고 살아가는 거"라는 담임 선생님의 말씀에 "잠을 자면서 북극곰과 관계를 맺"(「마지막 시험」)는 태도처럼 이병일 시인이 그려 내는 이야기들 속에는 타인과 공명하는 마음이 눈에 띈다. 그리하여 이 책을 읽는 당신의 '처음 가는 마음'의 세계란 어떤 세계일지 궁금하다. 그 세계의 무늬나 결은 사람마다 다를 것이다. 내 마음의 결정적인 무늬들은 청소년기에 만들어진 것 같다. 깔깔깔 웃음이 나거나 초라해 슬그머니 덮어 두고 싶은 울퉁불퉁한 시간들이 불쑥 떠오르기도 한다.

아프거나 괴로울 때, 슬프거나 힘들 때, 우리를 견디게 하고 살아가게 하는 건 아마도 그 평범한 시간들일 것이다. 서로 친구가 되어 주는 시간들. 이병일 시인의 청소년시는 지금 살고 있는 시간과 과거의 시간을 복원해 내면서 우리를 뒤돌아보게 하고 미래의 시간을 향해 앞으로 나아가게 한다. 그리고 우리를 끝내 그 아름다운 장면들에 걸려 넘어지게 만든다.

시인의 말

"아빠, 사춘기는 며칠 동안 오는 거예요?"라고 질문하는 나의 작은 시인은 이제 초등학교 4학년이 되었다. 4년 동안 비가 오나 눈이 오나 학교 가는 길에 말동무를 해 주었다. 뚱딴지같고 호기로운 질문을 할 때마다 나는 감탄했고 또 감탄했다. 나와 아이는 스스럼없는 사이다. 나와 어머니가 그렇듯이, 어머니가 나를 믿고 살듯이 나도 아이를 믿으며 산다. 아이에게 공기놀이와 실뜨기를 해 준다. 농구의 드리블과 슛 동작을 알려 준다. 몸에 깃든 감각이 되살아난다. 아이가 좋아하는 것을 보니까 나도 덩달아 행복해진다.

몸이 기억하는 놀이가 시라고 생각한다. 개구리 울음, 반짝이는 논물이 미적지근하듯 나의 청소년 시절도 그러했다. 뜨겁도록 강렬한 것이 없었다. 모르는 것이 많아서 알아도 아는 체를 하지 못했다. 산과 들판을 좋아해서 자주 풀에 베였지만 그때마다 쑥을 으깨서 상처에 붙여 놓으면 신기하게 피가 멈췄다. 현대적인 것보다 사라져 갈 것들의 풍경을 좋아하는 것 같다. 배추도사와 무도사가 나오는 「옛날 옛적에」를 즐겨 봤다. 그런데 시를 생각하니까 옛것엔 현대적인 것들의 미래가 숨겨

져 있었다. 그렇게 청소년 시절은 잘하는 것 하나 없이 설렁설렁 보냈다고 생각했는데, 어머니는 나를 키우는 '재미'로 살았다고 한다.

청소년시집을 준비하면서 나의 과거를 톺아보는 재미가 있었다. 덩달아 내 조카들, 황새, 싸리꾼, 거북이, 누룩이에게 크고 작은 에피소드를 꾸어 왔다. 이 자리를 빌려 고맙다는 인사를 전한다. 마지막으로 시를 노래할 수 있도록 "멀리 보라고, 깊이 보라고" 나를 견지해 주는 '르메'에게 영광이 있기를! 그 덧없는 사랑을 어떻게 표현해야 할까?

세상에 쓸모없는 것은 없다고 생각한다. 나는 쓸모없는 것의 쓸모를 잘 알고 있다. 이 시집을 읽는 친구들이 쓸데없는 질문을 많이 하면 좋겠다.

2021년 여름
이병일

**창비청소년시선 36**

처음 가는 마음

초판 1쇄 발행 • 2021년 8월 27일
초판 2쇄 발행 • 2023년 6월 1일

지은이 • 이병일
펴낸이 • 강일우
편집 • 정미진 박문수
조판 • 이주니
펴낸곳 • (주)창비교육
등록 • 2014년 6월 20일 제2014-000183호
주소 • 04004 서울특별시 마포구 월드컵로12길 7
전화 • 1833-7247
팩스 • 영업 070-4838-4938 / 편집 02-6949-0953
홈페이지 • www.changbiedu.com
전자우편 • contents@changbi.com

ⓒ 이병일 2021
ISBN 979-11-6570-072-0  44810